“十二五”国家重点图书出版规划项目

数学文化小丛书

李大潜　主编

统计知玄妙

Tongji Zhi Xuanmiao

杨　虎

高等教育出版社·北京

图书在版编目(CIP)数据

统计知玄妙/杨虎编.—北京：高等教育出版社，2013.6(2023.4重印)
(数学文化小丛书/李大潜主编.第3辑)
ISBN 978-7-04-037206-9

Ⅰ.①统… Ⅱ.①杨… Ⅲ.①统计分析-普及读物
Ⅳ.①O212.1-49

中国版本图书馆CIP数据核字(2013)第068075号

项目策划 李艳馥 李 蕊

策划编辑 李 蕊 责任编辑 胡 颖 封面设计 张 楠
版式设计 王艳红 插图绘制 邓 超 责任校对 杨雪莲
责任印制 存 怡

出版发行 高等教育出版社
社 址 北京市西城区德外大街4号
邮政编码 100120
印 刷 中煤(北京)印务有限公司
开 本 787×960 1/32
印 张 2.25
字 数 39 000
购书热线 010-58581118
咨询电话 400-810-0598
网 址 http://www.hep.edu.cn
http://www.hep.com.cn
网上订购 http://www.landraco.com
http://www.landraco.com.cn
版 次 2013年6月第1版
印 次 2023年4月第9次印刷
定 价 7.00元

物 料 号 37206-A0

数学文化小丛书编委会

数学文化小丛书总序

整个数学的发展史是和人类物质文明和精神文明的发展史交融在一起的。数学不仅是一种精确的语言和工具、一门博大精深并应用广泛的科学，而且更是一种先进的文化。它在人类文明的进程中一直起着积极的推动作用，是人类文明的一个重要支柱。

要学好数学，不等于拼命做习题、背公式，而是要着重领会数学的思想方法和精神实质，了解数学在人类文明发展中所起的关键作用，自觉地接受数学文化的熏陶。只有这样，才能从根本上体现素质教育的要求，并为全民族思想文化素质的提高夯实基础。

鉴于目前充分认识到这一点的人还不多，更远未引起各方面足够的重视，很有必要在较大的范围内大力进行宣传、引导工作。本丛书正是在这样的背景下，本着弘扬和普及数学文化的宗旨而编辑出版的。

为了使包括中学生在内的广大读者都能有所收益，本丛书将着力精选那些对人类文明的发展起过重要作用、在深化人类对世界的认识或推动人类对世界的改造方面有某种里程碑意义的主题，由学有专长的学者执笔，抓住主要的线索和本质的内容，由浅入深并简明生动地向读者介绍数学文化的丰富内涵、数学文化史诗中一些重要的篇章以及古今中外一些著名数学家的优秀品质及历史功绩等内容。每个专题篇幅不长，并相对独立，以易于阅读、便于携带且尽可能降低书价为原则，有的专题单独成册，有些专题则联合成册。

希望广大读者能通过阅读这套丛书，走近数学、品味数学和理解数学，充分感受数学文化的魅力和作用，进一步打开视野、启迪心智，在今后的学习与工作中取得更出色的成绩。

李大潜

2005 年 12 月

目　录

一、引言……………………………………1
二、乱箭齐射有多准……………………………6
三、惊人的预测 ………………………………15
四、莎士比亚新诗……………………………25
五、生日问题 …………………………………32
六、探寻运气的密码…………………………40
七、艰难的选择 ………………………………44
八、隐私问题调查 ……………………………50
九、两极分化与回归…………………………56
参考文献……………………………………61
致谢…………………………………………62

一、引　言

提起统计, 可以有两种理解. 一是统计学的简称, 更多地存在于教育和学术研究中, 目前已经发展成为一个独立的一级学科. 而在社会与生活中, 人们提到统计, 指的是一种行为, 而统计——这种人类的行为几乎可以追溯到人类的起源, 清点一下部落有多少人, 有多少食物, 就是在对资源进行统计. 这里的统计有笼统计数的意思, 这其实是数据统计. 今天的统计部门主要进行的就是这项工作.

本书所说的统计是指后者, 将告诉人们怎么去对随机现象进行数据统计和分析, 并通过这种统计工作, 去探知隐藏在随机现象背后的玄妙.

数据统计是统计学术研究的源泉. 当我们统计一个小规模团体的人数、年龄、收入、性别、身高、体重这些指标时, 如果统计人员足够细致, 由于总人数实在太少, 也不用考虑统计误差, 统计是派不上什么大用场的.

但随着这个团体人数的增加, 如一个市的市民、一个国家的公民; 统计指标的增多,如人们的健康状况、家庭经济情况、人的寿命等, 仅仅要求统计人员认真细致就远远不够了. 这时统计就会派上用场了.

今天, 问题驱动的应用数学研究已经逐渐成为学术界的共识, 统计学作为一门数据科学, 脱离数据就没有生命力了. 本书从一些基本的随机现象说起, 希望帮助读者体会进行数据统计的重要性, 进而发现统计规律. 有些问题本质上没有随机性, 但却表现出很强的随机特性, 如果片面理解, 就容易被迷惑.

下面先对统计学学科的发展作一简单回顾.

统计学 (statistics) 一词是 18 世纪中叶德国学者阿亨瓦尔 (G. Achenwall) 创设的, 词根是拉丁语中“国家” (status) 一词, 意即: “由国家来收集、处理和使用数据”. 但统计学成为一门学科的历史却很短, 至 1834 年创立英国皇家统计学会, 统计学才开始被承认为一门独立的学科. 当时认为统计学是

与人类有关的事实, 可以由数量来表示, 并且经过大量的累积重复可以导出一般规律.

统计起源于何时? 众说纷纭, 有说古巴比伦的, 有说古埃及的, 但记载最详实可信的是公元前 2000 年左右的夏朝, 中国进行了人口调查统计. 周朝 (公元前 1046—前 256 年) 为了管理统计工作还设立了“司书”职位, 这是中国国家统计局局长的鼻祖. 西方关于统计最早的记载是《旧约圣经》第四册, 该书引用了公元前 1500 年左右的早期人口统计结果, 这是摩西对以色列军队进行的调查统计.

早期的统计行为更多是统治者为了征兵、征税方便, 进行的人口统计. 这其实是今天统计局所做

的主要工作.

班上搞活动, 老师通知班长统计一下有多少人参加; 学校开运动会, 班主任需要统计一下本班学生取得的成绩; 考试结束了, 要对成绩进行统计和分析; 过春节要开展送温暖活动, 也要统计一下有多少贫困家庭, 等等. 经过统计, 才能获取最直接的第一手资料, 通过对资料的深入分析, 达到了解问题本质的目的.

生活中的统计其实很简单, 就是收集、整理和分析数据.

需要特别强调的是: 这里所说的数据通常是有随机性的, 统计整理的这些数据称为**样本** (sample). 提到随机性, 就不得不提到另外一个概念:**概率** (probability). 统计和概率联系紧密, 统计的过程离不开概率计算, 但和概率中对固定对象的概率分析不同, 统计总是需要处理大量的样本, 通过不断的**抽样** (sampling) 和分析, 才能发现隐藏在随机性表面现象背后的统计规律性.

随机性是一种不确定性, 但这种不确定性是有规律可循的. 比如投掷硬币, 比如掷一枚骰子, 比如股票的涨跌, 在结果显示前, 到底什么结果发生是无法预知的, 但人们都知道硬币出现正面的可能性是二分之一, 这种可能性就称为概率. 同样, 骰子掷出六点的概率是六分之一. 天气预报明天下雨的概率是 65%, 表示明天有 65% 的可能下雨, 从统计的角度, 如有 100 次这样的出行, 带雨伞会有 65 次左右是正确的, 另外 35 次雨伞则可能成为累赘.

上面所说的随机性包含两方面的内容, 一是所有可能的结果是已知的, 二是以固定的概率发生这些可能的结果, 后者又称为**概率分布** (probability distribution).

比如投掷硬币, 结果除了正面就是反面, 概率均为 $\frac{1}{2}$, 我们称它的概率分布为**两点分布或均匀分布** (uniform distribution). 投掷骰子, 所有可能的结果是 1~6 这 6 个数字, 概率均为 $\frac{1}{6}$, 概率分布也是均匀的. 通过统计获取概率是计算概率的方法之一. 除此之外, 概率论中还有很多计算概率的方法, 比如古典概率、几何概率、先验概率等. 本书涉及的概率都是通过样本统计出来的, 这样得到的概率俗称**频率** (frequency), 它其实是概率的一种近似.

通过大量观测和统计自然界的随机现象, 就能发现这些随机现象发生的频率, 进而获得概率 (作为频率的极限, 后面还要讲到). 比如, 通过天文观测, 我们发现了哈雷彗星的周期回归, 从而可以推算它的运行轨道; 通过水文观测, 我们可以预知潮起潮落; 对寿命与疾病的统计与分析, 可以得到人群中各种疾病的发生概率和平均寿命, 进而成为今天寿险保单的计算依据. 很多时候, 某件事发生的概率需要进行大量统计才能发现, 在通过计算得到概率的同时, 我们就掌握了相应的统计规律.

概率和统计的区别还是很明显的. 就第二部分介绍的生日问题而言, 我们计算 50 人中有两人生日相同的概率, 这完全是概率计算. 但当考虑的问题是一个班的同学中是否有两人生日相同，这就是一个统计问题. 首先，你需要进行客观的统计，记录下班上每个同学的生日；其次，统计上来的生日数据仅仅是一个样本，每个“读者”所在的班级不同，样本不一样,结果就会不一样. 如果只做一次这样的统计，我们无法印证前面计算的概率是否正确，只有进行大量的统计，才能检验概率计算的正确与否. 一般而言，通过统计可以获得自然界中随机现象发生的真实概率，这是人们进行理性思维与决策的一个基础.

在统计的意义下，概率再小，样本足够大，也会存在统计的必然. 因此不要因为发生小概率现象大惊小怪：由于样本很大 (这已经是统计必然的了)，碰巧被你遇上而已；你不遇上，也一定会有人碰上. 中国有句古话：久走夜路遇到鬼. 放到今天，一个喜欢冒险的人，迟早会发生意外. 讲的都是同一个道理.

不要看媒体铺天盖地报道中彩票大奖的人，甚至让他介绍成功经验，以为他真的有什么独家秘笈可供大家分享. 其实中奖的人只有统计学上的意义，是必然中的偶然个体. 同样，有人迷信高考状元的学习经验，以为照样学习就能中状元，那也是无稽之谈. 高考状元也不具备统计学分类的特征，只是一个偶然群体.

很多问题看起来都没什么规律，因此很多人才会无奈地归结为命运，经常有人感叹造化弄人. 面对纷纭的随机世界，我们真的只能听天由命么？

且慢下结论，让我们认真统计一下，也许就能发现个中玄妙.

二、乱箭齐射有多准

我国大约在28000年前就出现了弓箭(图1),是世界上最早发明弓箭的国家. 传说东夷人最早发明了弓箭,“夷”字就是由“大”和“弓”组成.《说文》记载:“夷, 东方之人也. 从大, 从弓”.《说文通训定声》记载:“夷, 东方之人也. 东方夷人好战好猎, 故字从大持弓会意, 大人也”. 至于具体的弓箭发明者, 有史料可查的主要有三位: 盘、张挥、后羿. 后羿射日是脍炙人口的神话故事, 这三人均是东夷人.

图1　骑射图

自弓箭产生以后,人类的活动范围迅速扩大,走出山洞巢穴,离开大树、森林,来到平坦广阔的平原草地安家. 人类利用弓箭不但能够得到更多的猎物,为自身的生存繁衍创造良好的物质条件, 而且也大大加强了自身的安全防御能力.

弓箭作为能够远距离射杀敌人的武器, 迅速成为古代战争的利器, 并被列为兵器之首. 古代战争常以军阵对垒的形式展开, 弓箭在军队中的作用非常显著. 唐代《太白阴经》一书“器械”篇记载: 唐一军编制 12500 人时, 装备“弓一万二千五百张, 弦三万七千五百条, 箭三十七万五千支”. 弓箭手们在战阵前一字排开, 控弓发箭, 千弓同张, 万箭齐发, 这场景在电影和连续剧中渲染得不少. 可是, 射箭总是有对象的, 而且箭的准头显然无法和现代的枪支相比, 距离越远, 射中的可能性越小, 战场上射箭的命中率究竟怎样呢?

古典小说中打不赢就放箭几乎是定式, 一些神箭手的故事更是脍炙人口, 但普通军士的射箭命中率有待考证. 奥运会的射箭比赛让人真的有点感慨人类的射箭水平怎么退化得那么快, 十环的圆圈很近, 也很大, 但各国的射箭运动员就是很难中的. 吕布辕门射戟, 薛仁贵能射张口雁, 养由基百步穿杨, 这些故事连小孩子都知道, 现在看来有些夸大也未可知.

《说唐》里面有一则让人落泪的故事, 后来也被搬上了戏剧舞台, 说的是罗成 (图 2) 匹马单枪大战后汉苏定方大军. 罗成虽然在隋唐英雄中武功排第七, 但到了那个时候, 排前面的好汉都死了, 论单打独斗, 罗成已经没有敌手, 但最终的结果是他被诱入淤泥河被乱箭射死.

图 2　罗成

二战时期, 没有导弹, 飞机在天上飞, 通常是用高射炮射击. 一门高射炮的命中率很低, 因此也采用了乱炮齐射的战术. 这样效果怎样呢?

假如每个士兵单独一次射击命中的概率为 0.1, 意味着射 10 箭才中一箭. 这样的弓箭手, 估计在冷兵器的古代没法在军队混饭吃吧? 曹操赤壁大战的上万弓箭手是这个水平么? 以曹操的治军和秉性, 估计会高于这个命中率. 出于统计分析的需要, 这里假定就是这个水平, 那么 100 次射击命中目标至少一次的概率有多大呢?

直接计算这个问题比较麻烦, 但考虑相反的问题就容易得多. 既然一次射击命中的概率是 0.1, 不能命中的概率就是 0.9, 两次独立射击都不中的概率应该是 $0.9\times0.9=0.81$, 以此类推, 100 次射击全都不能命中的概率就是 $0.9^{100} = 0.00003$. 可见, 100 次射击至少命中 1 次的概率就是 $1-0.00003 = 99.997\%$.

由此可见, 与其费劲去寻找神箭手, 冀望他一箭射中, 还不如让 100 个军士乱箭齐射的效果更好.

长坂坡能成就赵子龙 (图 3) 的神话, 曹操严令不许放箭、要抓活的是主要原因. 否则曹军的乱箭就不是 100 支, 而是上万支了. 赵子龙纵然武功盖世, 也难生还.

图 3　赵子龙

这个问题变一变, 放箭 100 次, 每箭的命中率仍然是 0.1, 那么仅中一箭的概率是多少呢? 也就是说: 这 100 箭中只有一箭射中, 而其余 99 箭都未射中. 这里的关键就是哪一箭射中的问题, 因为余下的都是不中的, 这 99 箭都未射中的概率就是 0.9^{99}, 而命中的一箭可以是 100 箭中的任何一箭, 故有 100 种可能. 于是, 若记 p_1 为 100 箭仅命中目标一箭的概率, 则

$$p_1 = 100 \cdot 0.1 \cdot 0.9^{99} = 0.0003.$$

用记号 C_{100}^1 表示 100 箭中有一箭命中的组合数, 则上面的公式又可以写成

$$p_1 = \mathrm{C}_{100}^1 \cdot 0.1 \cdot 0.9^{99}.$$

排列组合早在中国西周后期就开始萌芽,《易经》中就有最早关于组合的内容. 公元 850 年印度数学家摩诃毗罗 (Māhāvira) 给出了 n 个物体每次取 r 个的取法数的完整组合公式. 现在我们都知道, 组合数 C_n^r 表示从 n 个不可区分的物体中抽取 r 个物体的取法总数. 如果这些物体是可区分的, 那么还需要考虑它们的抽取顺序, 从而构成排列数, 记为 P_n^r. 组合数 C_n^r 与排列数 P_n^r 其实就相差一个倍数 $r!$(r 的阶乘, $r! = 1\cdot 2\cdot\cdots\cdot r$), 即 $\mathrm{P}_n^r = r!\mathrm{C}_n^r$. 这里仅通过一个例子来说明排列组合公式. 假定有 n 个学生, 任选其中的 r 个学生排成一排, 有多少种排法呢? 如果依次选择, 选第一个学生的时候, 共有 n 种选择. 选第二个学生的时候, 由于只剩下了 $n-1$ 个学生, 故仅有 $n-1$ 种选择, 以此类推, 直到选出全部 r 个学生, 共有排法总数

$$\mathrm{P}_n^r = n(n-1)\cdots(n-r+1) = \frac{n!}{(n-r)!}.$$

再根据组合数与排列数的关系, C_n^r 的公式如下:

$$\mathrm{C}_n^r = \frac{n!}{(n-r)!r!}.$$

回到原来的射箭问题, 如果射 100 箭命中目标 r 箭 ($0 \leqslant r \leqslant 100$), 这 r 箭可以是这 100 箭中的任何 r 箭, 共有 C_{100}^r 种可能, 因此, 记 p_r 为 100 箭中命中目标 r 箭的概率, 则有概率计算公式:

$$p_r = \mathrm{C}_{100}^r \cdot 0.1^r \cdot 0.9^{100-r}.$$

让 r 分别取 2, 3, 4, 就得到仅命中目标 2 箭、3 箭、4 箭的概率如下:

$$p_2 = \mathrm{C}_{100}^{2} \cdot 0.1^{2} \cdot 0.9^{98} = 0.00162,$$

$$p_3 = \mathrm{C}_{100}^{3} \cdot 0.1^{3} \cdot 0.9^{97} = 0.00589,$$

$$p_4 = \mathrm{C}_{100}^{4} \cdot 0.1^{4} \cdot 0.9^{96} = 0.01587.$$

如果中一箭可能不致命, 那么中 5 箭呢? 致命了吧. 根据上面的计算, 可以得到 100 次射击至少射中目标 5 箭的命中率. 这只要用前面已算出的至少命中一箭的概率 0.99997 减去仅命中 1~4 箭的概率, 即得

$$0.99997 - p_1 - p_2 - p_3 - p_4 = 97.629\%.$$

这个命中率仍然很高. 按这样的方法计算, 通过先计算

$$p_5 = \mathrm{C}_{100}^{5} \cdot 0.1^{5} \cdot 0.9^{95} = 0.03387,$$

$$p_6 = \mathrm{C}_{100}^{6} \cdot 0.1^{6} \cdot 0.9^{94} = 0.05958,$$

$$p_7 = \mathrm{C}_{100}^{7} \cdot 0.1^{7} \cdot 0.9^{93} = 0.08890,$$

$$p_8 = \mathrm{C}_{100}^{8} \cdot 0.1^{8} \cdot 0.9^{92} = 0.11482,$$

$$p_9 = \mathrm{C}_{100}^{9} \cdot 0.1^{9} \cdot 0.9^{91} = 0.13042,$$

可求得至少命中 10 箭的概率也达到 54.87%. 这是通过至少命中 5 箭的概率 0.97629 依次减去仅命中 5~9 箭的概率而得到的, 即

$$0.97629 - p_5 - p_6 - p_7 - p_8 - p_9 = 54.87\%.$$

这样, 在 100 箭齐射时, 至少 10 箭穿身的概率仍超过投掷硬币时掷出正面的概率.

从图 4 可以看出, 射 100 箭, 如果每箭的命中率是 0.1, 那么可能命中的箭数大体在 10 箭左右, 恰好命中 10 箭的概率最大, 达到

$$p_{10} = \mathrm{C}_{100}^{10} \cdot 0.1^{10} \cdot 0.9^{90} = 0.13187.$$

这是巧合吗?

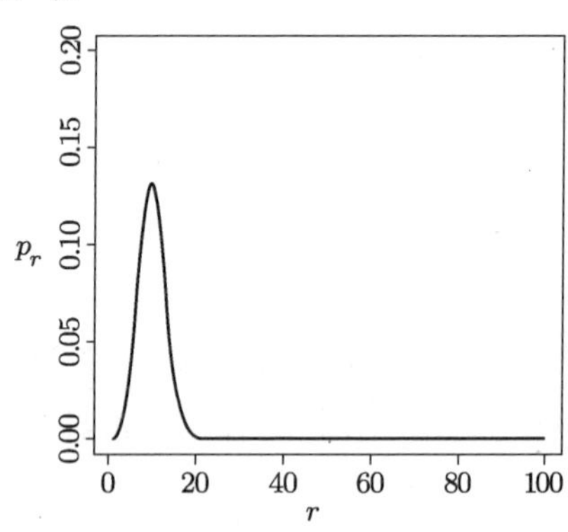

图 4　射 100 箭命中目标的概率分布曲线

10 箭恰好是按照 0.1 的命中率射 100 箭应该得到的命中箭数 ($100 \times 0.1 = 10$), 称为**理论频数** (theoretical frequency). 这个理论频数除以 100, 就是频率. 频率一直是概率的近似描述, 雅各布 · 伯努利 (Jocob Bernoulli, 1654—1705) 证明了概率其实就是频率的极限, 从而支持了对概率含义的通俗理解. 对上述问题, 如果不知道士兵的命中率, 可以进行一场试练, 他们射 100 箭中了 10 箭, 就可以推断士兵的平均命中率是 0.1, 这就是**统计推断** (statistical inference). 反过来, 也可以根据中箭的数量和命中率推断大概放了多少箭.

《三国演义》中的草船借箭 (图 5) 非常经典, 但根据统计推断, 诸葛亮应该是没法完成造箭任务的.《三国演义》中该段是这样描述的:

却说曹寨中, 听得擂鼓呐喊, 毛玠、于禁二人慌忙飞报曹操. 操传令曰: "重雾迷江, 彼军忽至, 必有埋伏, 切不可轻动. 可拨水军弓弩手乱箭射之." 又差人往旱寨内唤张辽、徐晃各带弓弩军三千, 火速到江边助射. 比及号令到来, 毛玠、于禁怕南军抢入水寨, 已差弓弩手在寨前放箭; 少顷, 旱寨内弓弩手亦到, 约一万余人, 尽皆向江中放箭: 箭如雨发. 孔明教把船吊回, 头东尾西, 逼近水寨受箭, 一面擂鼓呐喊. 待至日高雾散, 孔明令收船急回. 二十只船两边束草上, 排满箭枝. 孔明令各船上军士齐声叫曰: "谢丞相箭!" 比及曹军寨内报知曹操时, 这里船轻水急, 已放回二十余里, 追之不及. 曹操懊悔不已. 却说孔明回船谓鲁肃曰: "每船上箭约五六千矣. 不费江东半分之力, 已得十万余箭."

图 5　草船借箭

如果按照小说的描绘, 当时江上大雾弥漫, 人草不分, 不知虚实, 士兵放箭基本是闻声寻的, 命中概率估计不到 0.1, 中间还有调转船身, 让另一面受箭的过程, 也会有很多箭射空. 姑且按此概率, 要命中 10 万次, 射出的箭起码 100 万支以上, 如果按上限计算更可能超过 120 万支. 从书中描述看, 总共也就 1 万名弓弩手, 每人射了 100 箭以上? 据考证, 古时的箭壶一般只装箭 20~30 支, 这样的结果就离谱得很了. 诸葛亮就算知晓大雾, 也知晓曹操不敢迎战, 凑齐 10 万支箭也是一个不可能完成的任务.

三、惊人的预测

2010 年南非世界杯让章鱼保罗 (图 6) 成为耀眼的明星. 这只章鱼 8 次预测, 全部猜准比赛的胜负, 尤其是决赛预测西班牙战胜荷兰, 让全世界球迷为之侧目. 如果假定章鱼是瞎蒙, 那么每次猜对的概率只有 0.5(如果这个概率超过 0.5, 说明章鱼还是有点预测本领, 不完全是瞎蒙), 要发生这样的结果, 概率为 $0.5^8 = 3.9‰$, 这确实是小概率事件了. 生活中, 如果一件事成功的概率很小 (通常小于 0.05 或 0.01 就行了, 这是统计学中经常选择的两个小概率的临界标准), 这件事只做一次, 一定不会成功! 这就是统计学中有名的小概率原理. 换句话说, 统计学上不相信小概率的结果会在一次尝试中发生, 否则, 就要怀疑概率是否计算错了. 因为站在统计学角度, 当你并不知道概率时, 样本是你进行推断的唯一依据. 你只有一个样本, 结果就发生了, 你会认为这个结果发生的概率很小么?

再举个简单的例子, 当你路过一个篮球场, 看见一个球员在三分线上投篮, 直接命中, 但他没有再继续投了. 你推断一下, 这个球员是神投手么? 如

图 6　章鱼保罗

果我告诉你, 他平时投 100 次最多能中 5 次, 你信么? 这么差的投手, 居然难得的一次投中就被你看见了, 你有这么幸运么?

但小概率的事件如果不断地尝试, 超过一定数量的次数后, 统计规律就要起作用了. 比如飞机失事的概率很小, 据统计, 约为三百万分之一, 因此每个人可以放心乘坐, 但全世界航班的累积数量是惊人的, 因此每隔一段时间, 总能听到飞机失事的新闻报道.

一件事成功的机会很小, 但这件事如果反复去做, 在做了相当多的次数后, 一定会取得成功. 我们说的持之以恒, 有志者事竟成, 其实追求的就是这样的统计效果.

现在我们来看历史上发生的一个真实的故事.

乔治一如往常, 打开电脑收取邮件. 一封邮件的标题 “惊人的足总杯比赛预测” 引起了他的注意, 出于好奇, 他打开了邮件. 信里说:

亲爱的球迷:

我们有办法准确地预测足球比赛的结果, 请你验证. 今天下午将进行的英格兰足总杯第三轮比赛,我们预测考文垂队将战胜谢菲尔德联队. 如果你喜欢体彩, 仅供参考.

你忠实的朋友

乔治不以为然, 鼠标一点, 就将邮件扔进了垃圾箱.

下午正好有空, 本来也喜爱足球的乔治打开电视机, 比赛很激烈, 谢菲尔德联队一直占据主动, 但结果是考文垂队一次反击就幸运得手, 并一直保持到终场.

乔治想如果不看比赛过程, 事先预测, 这两个队的水平其实也在伯仲之间, 50% 的命中率, 不算什么.

都快淡忘此事了, 三个星期之后, 又收到同样标题的邮件:

亲爱的球迷:

还记得我们上次的预测吧. 今天下午将进行足总杯第四轮的一场比赛, 我们预测考文垂队将输给米德尔斯堡队, 无缘第五轮, 敬请验证. 我们会一直预测这届足总杯的各轮比赛, 请关注.

你忠实的朋友

这一次, 乔治有点好奇了, 早早就坐在电视机前, 等待球赛的开始.

虽然双方打成 1 比 1 的平局, 但在加时赛中, 米德尔斯堡队击败了考文垂队.

乔治开始关注足彩, 比以前更频繁地打开邮箱, 看看是否有预测新的比赛结果的邮件.

过了几天, 果然又收到预测邮件. 这一次, 预测米德尔斯堡队第五轮将输给特伦密尔队，但特伦密尔队相对较弱，乔治不太相信，没敢按照预先的计划参加博彩，然而比赛的结果让乔治有些懊丧.

四分之一决赛前，收到的邮件预测特伦密尔队输给陶顿亨队，这应该在预料之中，乔治心里想. 这次再也没有迟疑，用少量现金参与了博彩，结果果如预料，收获虽然不多，但心里还是很高兴.

半决赛前，收到的邮件预测阿森纳队将进入决赛. 乔治无论如何都不相信了，但他通知了许多亲朋好友，以调侃的口吻告诉他们，阿森纳队会赢得一张决赛的门票，可几乎没有人相信. 比赛过程一波三折，阿森纳队在落后的情况下，有如神助，最后关头反败为胜，昂首挺进决赛. 这场比赛的赔率创出新高，但乔治失之交臂了.

几天后，乔治急切地打开邮件：

亲爱的球迷：

你已经见证了我们的奇迹，你现在相信我们真的有办法预测比赛结果了吧. 5 次成功的连续预测，这绝不是运气，5 次瞎蒙都正确的概率是 $2^{-5}=3.125\%$，我们预测的有些场次，获胜的并不是普遍看好的球队，因此实际概率很低. 为了支持我们在这方面的努力，给各位朋友提供更好的服务，我们希望今后实行有偿服务，你只要支付 200 英镑，就可以获得我们的服务. 接下来是万众瞩目的足总杯决赛，很多博彩公司都开出了最新的赔率，还等什么呢？赶快行动吧！

收到订单我们就会立即将预测结果发到你

信箱.

我们的成功需要你的支持!

你忠实的朋友

乔治虽然想到了有偿服务, 但没想到会是这么高的要价, 但转念一想, 上次博彩押得少了一点, 这次多押点, 区区 200 英镑实在不算多. 于是乔治愉快地发回了订单.

故事讲到这里已经结束了, 猜猜看, 写信的人是如何精确地预测比赛结果的? 或者你想到了假球? 收买裁判?

都不是! 结果会让你在一瞬间恍然大悟, 这是一个彻头彻尾的骗局, 统计分析可以让你具有免疫力.

我们还是回到概率 3.125%. 如果你向 6400 人发邮件, 每次等分成两组, 给出不同的输赢预测, 下一轮对预测成功的一组继续这样的预测, 你不需要任何技术, 五轮下来, 剩下的 200 人都像乔治一样惊叹你的预测准确性. 这 200 人中就算只有一半的人参与交易, 也有 2 万英镑入账.

信息的不对称, 让乔治心甘情愿地陷入预设的诈骗陷阱.

2012 年欧洲杯正如火如荼地进行着, 刚刚开始的几轮, 各种神兽预测便充斥媒体, 但很快就黯然退场了. 要想在总共 31 场比赛中全部预测出输赢来, 概率为 $2^{-31} = 4.656613 \times 10^{-10}$, 即百亿分之 4.65, 任何一个预先指定的神兽要想一路成功到最后是绝无可能的.

但很容易计算, 如果欧洲杯的球迷超过 21.5 亿名的话, 那么你一定能设计一下, 最后一定会有一位球迷得到你全部 31 场比赛准确的预测.

你向 21.5 亿名观众预测第一场比赛的结果, 其中一半预测甲胜, 另一半预测乙胜. 比赛结束后, 有一半的人得到成功的预测, 第二场球就向这 10.75 亿人预测. 结果有 5.375 亿人得到你连续两场准确预测的结果. 到第 31 轮最后的决赛, 还有两个人, 他们见证了你连续预测准 30 场比赛的奇迹, 最后一定会有一个人为你连续预测准 31 场比赛的结果而目瞪口呆, 对你佩服得五体投地, 相信你是活神仙.

这中间, 没有概率, 没有随机性, 只有假象.

这不需要多少智力, 也没有什么高深的学问, 只要掌握了上面的技巧就行. 样本足够大, 什么奇迹都能发生, 这就是统计的魅力!

残酷的淘汰赛, 如果你是参与者, 是有点残酷, 因为你笑到最后的概率极小. 但如果你是旁观者, 是球迷, 还是淡定一点吧, 别当谁的粉丝, 因为最终一定会有一个胜者, 然后他的故事就成了传奇.

古云, 无巧不成书. 其实被立传者本身就是大浪淘沙的结果, 他的故事充满离奇和巧合, 现在你知道, 这些看似巧合的东西, 其实是统计规律的体现.

市场经济的大潮中, 我们看见的都是如何白手起家的典范, 如何经历商海沉浮而屹立不倒的成功者, 其实更多的失败者你不知道而已. 古云: 一将功成万骨枯. 名将之路, 也有统计规律的必然. 一万名军人死了, 你没死, 你就是名将, 由此看来, 产生名将的概率是万分之一.

和平时期无名将. 每逢战乱, 英雄辈出, 三国时期、隋唐五代、明朝开国、二战期间, 都是如此, 这一点也不奇怪. 尽管你仅仅是一个普通士兵, 如果你能坚持到大战结束, 你的传奇就开始了. 据统计, 第二次世界大战是人类有史以来死伤人数最多的一次战争, 不算受伤, 仅死亡人数就有 5500 万 ~6000 万, 其中军人 2000 万名左右. 依据上面所说的名将万里产一的概率计算, 有 2000 位名将并不奇怪.

走上战场, 对每个士兵而言就是残酷的随机选择. 虽然很多时候可以利用机智灵活以及出色的训练基础, 获得更多的生存可能. 但在冲锋的时候, 作为军人首先不能怕死不冲吧? 但冲出去后, 谁会被击中就只有天知道了. 如果有人能冲上去并幸存下来, 他就是幸运者. 但刚开始冲锋的时候, 你无法预先知道自己的命运. 当我们为胜利者树碑立传, 描述他如何冒着枪林弹雨最后奇迹般地生还时, 不要忘记他更多的战友们倒下了.

虽然人们常说不想当将军的士兵不是一个好士兵, 但对一个士兵而言, 将军之路更多的是这种随机选择的结果. 做好准备可以, 但成功的机会太小.

占星术和算命一直是个古老而时髦的话题. 如果他们真的有预知未来的能力, 那么, 他们完全可以通过股票买卖印证自己的预测能力, 用不着为了那点算命钱故弄玄虚那么久.

今天的社会给了每个人机会, 同样也让很多人没有了机会. 没有人能够预测股市的涨跌, 否则, 全世界的钱都是他家的了.

上面发生在足球场上的预测故事在股市也有.

中央电视台财经频道“经济与法”栏目播出了一出栏目剧: 谁在“股”惑我.

这是一个悲剧, 故事是这样的.

主人公李天是天津一家公司的会计, 他有一个妹妹李倩, 大学毕业后在北京一直没找到合适的工作, 他还得经常接济她.

他收入虽然不高, 但有一个幸福的小家庭, 妻子春华已经怀孕, 一家人憧憬着未来的幸福生活.

李倩和男友焦洋历经找工作的艰辛, 总算进入了一家投资公司.

他们的工作是股票分析师, 交代的任务是每天给一份资料上的股民打电话, 向股民提供有内幕消息的股票, 然后争取将这些名单上的股民变成会员. 争取的会员越多, 收的会员费就越多, 他们提成也就越多. 股票分析师的收入全靠提成, 但提醒他们打电话不能用真名, 这让他们有点犯疑.

焦洋化名“刘证”给李天打电话, 以股票分析师的身份可提供具有内幕消息的股票为由, 希望李天成为公司的会员, 合伙挣钱. 李天当然不相信, “刘证”就先以免费的方式推荐股票, 供他验证.

春华提醒他别被骗了, 但李天说反正是免费的, 少买点试试, 谁知推荐的股票果然涨了. 李天看见了希望, 决定成为会员, 汇出了 5000 元的会员费.

焦洋也好奇这些内幕消息是哪里来的. 一次借感谢他的上级黄哥的机会, 在饭桌上向黄哥请教, 原来经理的股民资料是从网上买来的, 推荐的所谓有内幕消息的股票其实什么内幕都没有, 所谓内幕其实都是从网上和报纸上收集的, 说白了, 就是赌 50% 的概率. 没预测准的客户, 称为失败客户, 公司就再也不理他们了. 分析师的重要工作就是盯紧那些成功客户, 说服他们成为会员, 通过收取会员费赚钱.

李天在两次成功以后, 彻底地相信了投资公司, 为了发大财, 将家里的 10 万元积蓄都汇给投资公司. 很快, 该公司就将 1 万元的利润汇到他账户, 然后告诉他有一个更好的项目, 希望李天参与.

由于妻子春华分娩在即, 需要钱花, 鬼迷心窍的李天为了赚到更多的钱, 将手伸到了公司财务账上的钱, 向投资公司又追加了 30 万元.

后面的结果可想而知, 被骗光的李天准备跳楼自杀, 被赶来的妻子劝阻, 投案自首, 骗子公司也受到了法律的制裁.

股市究竟可不可以预测, 一直是今天老百姓的话题. 20 世纪关于股市的分析和预测就在西方国家盛行, 大批数理学科的毕业生进入金融行业, 他们受雇于各种基金组织、投资公司或银行, 从事股市预测, 希望用科学的方法, 找出股市变化的规律. 例如美国学者费希尔 · 布莱克 (Fischer Black, 1938—1995)、迈伦 · 斯科尔斯 (Myron S. Scholes, 1941—) 和罗伯特 · 默顿 (Robert C. Merton, 1944—) 等人, 他们把以往股市中的各种变量汇聚起来建立了复杂的模型, 用来预测股市、指导公司的各类股票买卖活动并曾获得成功. 多年来,为他们所在公司的炒作活动赚取过上百亿美元的回报, 默顿和斯科尔斯还因此获得了 1997 年度的诺贝尔经济学奖.

他们的成功受到全世界的关注, 他们的股市预测方法被国内外一些媒体誉为“现代金融高科技”、“驰骋股市的杀手锏”等. 但金融市场瞬息万变, 没有一成不变的法则, 1998 年, 随着席卷全世界的金融危机的到来, 这两位大师指导下的股票业务也坠入深渊, 亏损数十亿美元, 使全球著名的对冲基金公司濒于破产, 令仰慕者瞠目结舌, 就连诺贝尔经济学奖的光环也黯然失色.

有句台词: 出来混, 总是要还的. 有一种竞赛, 总是以失败收场, 比如跳高. 中国武侠小说里面描写的轻功着实了得, 但这是臆想, 人类能跳多高, 有奥运会的记录摆在那里. 再神的算命先生也算不出股票涨跌, 在真实的随机现象面前, 没有一劳永逸的生存法则, 这是市场最严酷的一面. 参与进去, 就要有心理准备.

别迷信惊人的预测, 那只是一个巧妙的设计而已.

四、莎士比亚新诗

1985 年 11 月 14 日, 研究莎士比亚 (图 7) 的学者泰勒 (G. Taylor) 从 1775 年以来就保存在博德利 (Bodleian) 图书馆的收藏中发现了写在纸片上的九节新诗. 新诗只有 429 个词, 没有记载谁是诗的作者. 这首诗会是莎士比亚的作品吗? 1987 年统计学家埃弗龙 (Efron) 和他的学生提斯特德 (Thisted) 利用统计方法研究了这个问题, 得到结论: 这首无名诗用词的风格与莎士比亚的风格非常一致. 这个研究纯粹基于统计学基础, 其过程可描述如下:

图 7　莎士比亚

已知莎士比亚所有著作的用词总数为 884647 个, 其中 31534 个是不同的. 这些词出现的频数[①]如下表.

单词使用的频数	不同的单词数
1	14376
2	4343
3	2292
4	1463
5	1043
6	837
7	638
⋮	⋮
>100	846
总数	31534

根据这份统计表, 莎士比亚使用的这些词当中, 仅用一次就弃用的词高达 45.6%, 仅用两次的也占到 13.8%, 说明莎士比亚喜欢使用新词. 如果要求莎士比亚写一个含有一定数量单词的新作品, 他会使用多少以前作品中未使用过的新单词? 在他以前的所有作品中, 有多少单词他仅使用过一次、两次、三次……? 这些数字可以用费希尔 (R. A. Fisher, 1890—1962) 等 1943 年提出的统计方法来预测. 在完全不同的领域内, 费希尔利用他的方法估计了未被发现的蝴蝶总数. 利用费希尔的理论, 如果莎士比亚用与他已有的所有作品中出现的单词

① 即该词在作品中出现的次数. 只出现了一次, 使用频数为 1, 出现了两次, 使用频数为 2, 余类推.

总数 (884647 个) 完全一样数目的单词来写他的新的剧本和诗, 推断出他将使用约 35000 个新词. 这种情形下, 莎士比亚的总词汇估计至少有 66000 个 (这些统计方法需要太多的统计知识, 这里就不详细介绍了. 在莎士比亚时代, 英语语言的总词汇约有 100000 个, 目前约有 500000 个).

这首新发现的诗含有 429 个单词, 其中有 258 个是不同的. 新诗用词频数的观测值和预测值 (基于莎士比亚的风格) 非常一致. 从统计角度, 表明新发现的诗的作者就是莎士比亚.

为了进一步加以说明, 研究者同时给出了与莎士比亚同时代的其他几位著名诗人约翰逊 (B. Johnson)、马洛 (C.Marlowe)、多恩 (J.Donne) 写作的长度基本相同的作品, 统计这些作品中所使用的单词频数的分布情况, 发现与新发现的诗中单词的观测频数具有统计学上的显著差异①.

近年来流行的 DNA 亲子鉴定其实和这里描述的情况有些类似. 古时候, 滴血认亲被大众普遍接受, 说的是具有血缘关系的人如果都把血滴入器皿内, 会融合在一起. 如果不能相融, 就没有血缘关系. 后来有了血型检测, 又变为通过检测血型来判断血

① 在统计学中, 光有差异是不够的. 由于统计学中推断的基础是样本, 样本又是带有随机性的, 因此不同的样本得到的统计结论肯定存在差异, 仅仅是随机误差造成的差异不是显著差异. 好比考试中考了 93 分的学生一定比考了 92 分的学生更优秀吗? 这里 1 分的差距如果不算什么, 在统计学中就会说这两个学生的优秀程度没有显著差异. 具体如何才算显著差异, 统计学中有一门专门的分支研究这类问题, 称为**假设检验** (hypothesis testing).

缘关系.

现代科学发现表明, 这些都是不科学的, 不能用这样的方法鉴定血缘关系.

鉴定亲子关系目前用得最多的是 DNA 分型鉴定. 人的血液、毛发、唾液、口腔细胞等都可以用来进行亲子鉴定, 十分方便.

每个人都有 23 对 (46 条) 染色体, 同一对染色体同一位置上的一对基因称为等位基因, 一般一个来自父亲, 一个来自母亲. 如果检测到某个 DNA 位点的等位基因, 一个与母亲相同, 另一个就应与父亲相同, 否则就存在疑问了.

利用 DNA 进行亲子鉴定, 要作十几至几十个 DNA 位点检测, 如果全部一样, 就可以确定亲子关系. 如果有 3 个以上的位点不同, 则可排除亲子关系. 有一两个位点不同, 则应考虑基因突变的可能, 加做一些位点的检测进行辨别. DNA 亲子鉴定, 否定亲子关系的准确率几近 100%, 肯定亲子关系的准确率可达到 99.99%.

围绕莎士比亚著作的谜团还有下面三个故事.

《罗密欧与朱丽叶》作者之谜. 莎士比亚出生于平民家庭, 而该剧主要描述贵族生活, 是否出自莎士比亚之手? 300 年来一直有人表示怀疑, 包括狄更斯和马克 · 吐温等名家. 但统计学家同样通过用词风格和频数分布证实了该书是莎士比亚所作.

《托马斯 · 莫尔爵士》作者不明, 写作年代大约在 1593 年. 由于历史上一直没人知道它的作者是谁, 默默躺在伦敦大英博物馆几百年. 20 世纪中叶, 英国学者经过统计分析发现这部戏剧与莎士比亚另外三部剧作的风格完全一致, 因而确定为莎士比亚所作.

《爱德华三世》的作者认定. 该剧出现在 16 世纪 90 年代, 描写的是 14 世纪数次与法国人和苏格兰人交战的英格兰国王爱德华三世的生平故事. 据考证创作于 1594 年到 1595 年, 但围绕该剧的作者之争, 困扰戏剧界好几百年. 20 世纪末, 研究者对原版仅存 7 册的《爱德华三世》的剧情内容、语言韵律、文学手法以及其间透露出来的情感等进行了统计分析, 得出了《爱德华三世》全为莎士比亚一人手笔的结论. 英国莎士比亚作品权威出版机构 "阿登" 出版公司, 现正式确认它是莎士比亚的典型早期作品之一. 英国 "皇家莎士比亚剧作演出公司" 也已决定, 今后将在演出莎翁另一剧作《爱德华二世》的同时上演《爱德华三世》.

《静静的顿河》为苏联最负盛名的传世之作, 作者米哈依尔 · 肖洛霍夫 (M.A.Шолохов, 1905—1984, 图 8) 是 1965 年的诺贝尔文学奖获得者, 他用了 14 年的时间完成全书.

图 8　米哈依尔 · 肖洛霍夫

20 世纪 20 年代末. 当小说第一、二部问世时, 有人提出它是肖洛霍夫抄袭的一部作品, 那本书也叫《静静的顿河》. 1930 年, 肖洛霍夫曾在一封信中承认他知道那本书, 不过那是一本关于 1917 年顿河流域的旅行札记, 并非是一部长篇小说.

1974 年, 流亡国外的索尔仁尼琴在巴黎发表了题为《〈顿河〉急流——一部长篇小说之谜》的文章, 提出《静静的顿河》是肖洛霍夫剽窃的作品. 其理由为: 肖氏当时刚刚 20 来岁, 学历浅、经历不广, 不可能写出那样有广度和深度的鸿篇巨著, 并且全书的思想内容和艺术技巧很不平衡, 体现出不是一人的创作风格.

围绕这部作品的作者是谁争议很多, 持续 60 年之久. 还有的观点是认为《静静的顿河》真正的作者是克鲁乌科夫, 肖洛霍夫只不过将已去世作家未出版的手稿重新改写了前两卷的 5%, 后两卷的 30%, 就改头换面以他的名义出版.

该书作者到底是谁?

挪威奥斯陆大学教授盖尔 · 谢措 (Geir Kjetsaa, 1937—2008) 等人应用统计方法分析这本书的作者.

他们将研究对象分为三组: 肖洛霍夫的无可争议的作品作为第一组,《静静的顿河》为第二组, 克鲁乌科夫的作品为第三组.

第一个参数是一部作品中不同的词汇量与总词汇量的百分比统计, 分析表明第一组为 65.5%, 第二组为 64.6%, 两者非常接近, 而第三组却只有

58.9%, 明显低于前两个数据. 克鲁乌科夫在他的作品中, 显然更喜欢经常重复使用同样的词汇.

第二个参数是词汇分布频率, 选取 20 个俄文中常见的词汇, 统计它们占作品中全部词汇的百分比, 发现第一组为 22.8%, 第二组为 23.3%, 第三组为 26.2%, 第一组与第二组相对接近.

最后一个参数是作品中出现过一次的词汇所占的百分比. 肖洛霍夫的作品为 80.9%,《静静的顿河》为 81.9%, 而克鲁乌科夫的作品则只有 76.9%.

研究表明, 所有参数都表明克鲁乌科夫的作品与《静静的顿河》之间, 存在着显著的统计差异, 由此可见, 这部杰作的真正作者很难说是克鲁乌科夫. 相比之下, 肖洛霍夫更像是《静静的顿河》的原作者.

他们的研究成果在 1984 年总结在一本专著《关于"静静的顿河"的作者》中. 1987 年到 1991 年陆续发现了肖氏写作时的部分草稿和手稿, 经专家鉴定其中 605 页系肖氏手笔, 285 页是他妻子和姐妹抄写的, 用于写作的纸张也是 20 世纪 20 年代生产的. 自此, 肖洛霍夫的"剽窃罪"得以澄清, 也证明了前述统计分析的正确性.

《红楼梦》是我国古典小说四大名著之一, 由于存在很多悬疑, 一直有学者运用统计学的定量分析方法研究红学, 尤其是该书后 40 回与前 80 回是否同一作者的问题, 出现了很多研究成果. 这方面的研究一直持续到现在, 争论尚没有停息的迹象, 很可能会成为一个永远的悬案了.

五、生日问题

“祝你生日快乐”, 每当生日聚会, 这首歌便回荡在你周围. 尤其是学生, 很多人会早早地盼望生日那一天的来临.

当你发现同班居然有和你生日相同的同学时, 你是什么感受呢? 惊奇吧?

你确实应该惊奇, 因为这么巧合的事情, 发生的可能性实在很小!

你从小学到大学, 更换过多少班级呢? 每个班级你都会有很多回忆吧, 这里要提醒你的是, 班上有没有和你生日相同的同学呢?

如果你对此没有印象, 那换个角度回忆一下, 你所在的这些班上是否有同学生日相同呢? 如果过去的记不得了, 那你现在班上有生日相同的同学吗?

我们现在解开这些谜团. 假定一年 365 天, 不考虑闰年和双胞胎等因素, 也不考虑农历生日, 假定大家都是按公历的日期计算自己的生日. 那么 366 人中肯定有两人生日相同, 这是毫无疑问的. 如果你所在年级共有 182 人, 你更相信有人和你生日相同呢? 还是相信没有人和你生日相同? 你更相信其中有两人生日相同呢? 还是相信没有人生日相同? 你选择的依据是什么? 是两人生日相同这件事情发生的概率? 你计算过相应的概率吗?

先考虑前一个问题, 假定你所在的班级人数为 $N(< 365)$, 如果班上没有人与你的生日相同, 可能性有多大? 由于每个人的生日都可能是 365 天中的一天, 除你以外的这 $N-1$ 个人, 如果不考虑你的生日, 总共有 365^{N-1} 种可能的选法, 但如果不能与你生日相同, 那他们可供选择的生日就只有 364 天了, 可能的生日排列总数为 364^{N-1}. 这样, 班上其他人都与你生日不同的概率应为 $\left(\dfrac{364}{365}\right)^{N-1}$. 这种计算概率的方式称为古典概率. 从而, 班上至少有一人与你生日相同的概率为 $1-\left(\dfrac{364}{365}\right)^{N-1}$. 据此计算得

N	概率
182	39.14%
254	50.05%

因此, 你应该相信在总数为 182 人的群体中, 要找出一人与你生日相同的可能性不大. 而只有当总人数达到 254 人后, 才有勉强超过 50% 的概率找到与你生日相同的人, 这和我们的直觉很不一样吧?

就算有 366 人的一个人群, 肯定有两人生日相同了, 但要找出一人恰好与你的生日相同, 概率也

不过 $1-\left(\frac{364}{365}\right)^{365}=63.26\%$.

函数 $f(N)=1-\left(\frac{364}{365}\right)^{N}$ 的图形 (图 9) 显示的结果可能更出乎意料. 1500 人的群体, 至少一人恰好有指定生日的概率也才 98.37%. 而要达到 99.99% 的概率, 也就是说几乎肯定有人与你生日相同, 则需要有 3210 人!

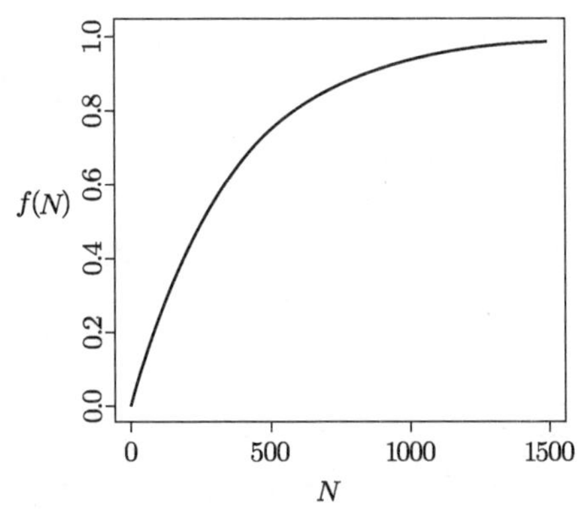

图 9　至少 1 人恰好有指定生日的概率分布曲线

古人结拜兄弟时常说不求同日同时生, 但求同日同时死. 现在我们来看看人群中同日同时生的概率有多大. 古时是每昼夜 12 时辰, 农历一年也只有 354 天, 而 $354\times12=4248$(时辰). 这样包含你在内的 N 人中没其他人与你同日同时生的概率为 $\left(\frac{4247}{4248}\right)^{N-1}$, 至少有一人与你同日同时生的

概率为 $1-\left(\frac{4247}{4248}\right)^{N-1}$, 要几乎达到 99.99% 的概率找到一个与你同日同时生的人, 这个人群得有 $N=37400$ 人. 这看来真的不容易, 因此结拜兄弟时只能求同日同时死了.

再看后一个问题.

从前面的分析知道, 要找一个人与你生日相同很不容易, 但下面将会看到, 要在人群中找两个人生日相同又出乎意料地容易.

我们先来计算 $N \leqslant 365$ 人生日都不相同的概率. 这个问题等价于 365 个箱子中放入 N 个球, 而碰巧没有任何箱子放进两个球的问题 (需要假定每个箱子足够大, N 个球都可以放进去). 由于每个球都可以放进这 365 个箱子中的任何一个, 所有可能的放法共 365^N 种, 而每个箱子最多一个球的放法有 $365 \cdot 364 \cdot 363 \cdot \cdots \cdot (365-N+1)$ 种. 根据古典概率定义, 每个箱子最多放入一个球的概率为

$$\frac{365 \cdot 364 \cdot 363 \cdot \cdots \cdot (365-N+1)}{365^N}.$$

结论“每个箱子最多放入一个球”如果不对, 意味着什么呢? 不就是“至少有一个箱子放进了两个球”么? 这两个结论只能有一个成立, 两者的概率之和为 1, 因此, 算出其中一个结论的概率, 另外一个结论的概率也就知道了. 这就是说, 实际中这两个结果必有一个会发生.

将 N 人中至少有两人生日相同的概率记为

$P(N)$, 则

$$\begin{aligned} P(N) &= 1 - \frac{365 \cdot 364 \cdot 363 \cdot \cdots \cdot (365 - N + 1)}{365^N} \\ &= 1 - \frac{365!}{365^N (365 - N)!}. \end{aligned}$$

在 $N = 182$ 时, 由此可计算得 $P(182) = 1 - 9.5 \times 10^{-25}$, 这在统计意义下是必然事件了, 几乎肯定有两人的生日相同, 和第一个问题完全不一样.

我们进一步问, 在有多少人的情况下, 才倾向于选择会有两人生日相同这个结果呢? 换句话讲, 就是有多少人, 两人生日相同的概率才不会低于 50%.

根据上面的公式, 可计算如下:

N	概率
10	11.69%
20	41.44%
22	47.57%
23	50.73%
24	53.83%
30	70.63%
40	89.12%
60	99.41%
80	99.9914%

可见, 人数超过 80 时, 有两人生日相同几近必然, 更不用说 182 人了.

根据上面的计算结果, 只要人群中有 23 人, 有两人生日相同的概率已经超过 50%. 你们班上有多少人呢? 哪两个同学生日相同? 你知道吗?

同样, 可以绘制出函数 $P(N)=1-\dfrac{365!}{365^N(365-N)!}$ 的图形 (图 10).

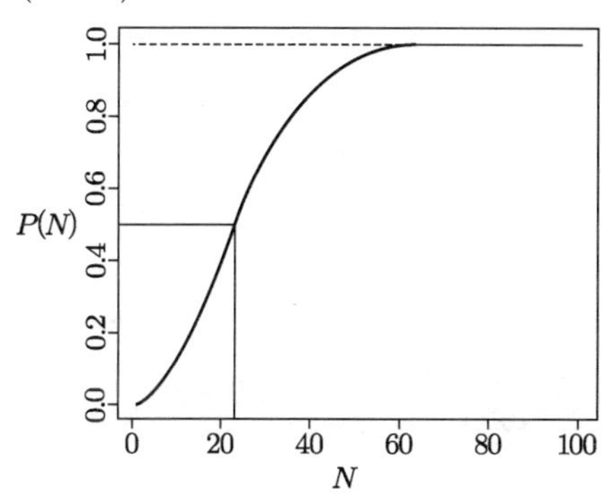

图 10　至少两人生日相同的概率分布曲线

再看一个统计结果: 美国前 36 任总统中, 有两个人的生日是一样的 (第 11 任总统波尔克和第 29 任总统哈定均生于 11 月 2 日), 有三个人死在同一天 (第 2 任总统亚当斯、第 3 任总统杰弗逊和第 5 任总统门罗均死于 7 月 4 日).

很意外吧? 这个问题还可以进一步推广. 问多少人组成的群体, 可保证有两人生日相差仅一天的概率超过 50%? 显然这个问题的答案会比 23 人还少? 那么会少多少呢?

这个问题比上面复杂得多. 1970 年艾布拉姆森 (Morton Abramson) 和莫泽 (W.O.J.Moser) 给出了一般的计算公式: 假定一年 365 天, 在 n 人中, 有两人生日相差不超过 r 天的概率为

$$P_r(n)=1-\frac{(n-1)!}{365^{n-1}}\mathrm{C}_{365-n(r-1)-1}^{n-1}.$$

根据这个公式, 不难算出当 r 给定时, 概率超过 50% 的最少人数如下表.

r	n
0	23
1	14
2	11
3	9
4	8
6	7
8	6
12	5
19	4
36	3
91	2

从这个表格可以发现, 对 14 人的人群, 至少有两人生日仅差一天的概率就会超过 50%; 而只要有 7 个人, 至少有两人生日相距不超过 6 天的概率也会大于 50%. 有意思的是, 任意一对夫妻, 猜测他们生日相距不超过 91 天的概率也超过 50%. 读者不妨回去问问你们父母的生日, 看看是否有意外的发现? 再由上面的公式, 可以算出三个人中有两人生日相距不超过 91 天的概率 $P_{91}(3)$ 高达 93.85%, 因此你和父母组成的三口之家几乎可以肯定一定有两人的生日相距不会超过 91 天.

分别取 r=0, 1, 2, 3, 4, 6, 8, 12, 19, 36, 可得到 n 人中至少两人生日相差不超过 r 天的概率关系图 (图 11).

最右边的曲线对应于 r=0, 最左边是对应 r=36 的曲线. 越左边的曲线, 概率上升越快, 人数只要多于上表中的 50% 临界线, 概率就会迅速增大, 很快就会成为必然.

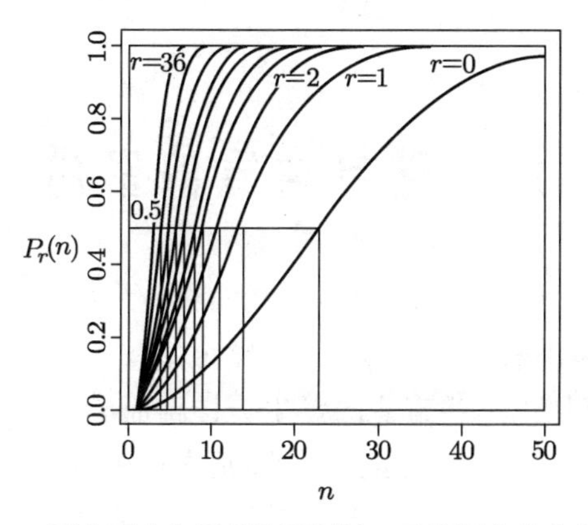

图 11　至少两人生日相差不超过 r 天的概率分布曲线

六、探寻运气的密码

中国有两句古话, 一曰好戏连台, 二曰祸不单行, 都是说一些事情的发生会接踵而至. 当你彩票中奖, 打牌不断地拿到好牌, 别人在羡慕之余会把它归于手气或运气. 但运气是什么? 很多人会有宿命的解释, 比如归因于上帝, 归于神秘的轮回等. 时来运转更是失意者的奢望, 幻想有朝一日, 风水轮流转, 苦尽甘来.

运气是什么? 下面我们就来解开运气的密码.

图 12　扑克牌

打麻将和打扑克牌 (图 12) 的时候, 很多人手气很好, 连续摸到好牌, 手气是什么? 其实也就是运气. 为了方便, 我们简化一下这个问题,手气好摸到一手好牌, 记为“1”, 而手气差摸到一手坏牌, 则记为“0”. 假定某人打牌, 先后摸过 108 手牌, 按好坏记录如下:

000100011010010101011011000110100101

110110111100011001011011000101010010

110010001101110100010111010101010010

有句话, 叫做上帝通过掷骰子决定人的命运, 你能透过这组“上帝”的密码洞穿上帝骰子的秘密吗?

这组记录是真实的吗?

现在我们统计一下: 根据这段“密码”, 这人共摸到好牌 53 次, 坏牌 55 次, 均接近平均数 54, 看不出有什么大的问题. 感觉手气稍差, 但也差不到哪里去. 根据上面的记录, 连续摸到好牌最多 4 次, 连续摸到坏牌最多 3 次, 手气问题并不明显.

这段记录中究竟还有什么秘密呢?

我们把连续的 0 称为 0– **游程** (run), 称其中 0 的个数为游程长度. 上面的记录中共有 35 个 0– 游程, 长度分别是 3, 3, 1, 2, 1, 1,$\cdots$. 记录中共有 55 个 0, 所以可能的 0– 游程数最少为 1, 最多为 55. 根据已有的经验, 假定没有作弊, 0– 游程数是 1 和 55 的概率都应当很小, 而 0– 游程数在 $\dfrac{1+55}{2}=28$ 左右的概率较大. 但这段记录中 0– 游程数有 35 个之多, 从统计的角度看, 其真实性是值得怀疑的.

为了更有说服力, 我们来计算游程个数的概率分布.

当 $m \geqslant r$ 时, 满足方程 $x_1+x_2+\cdots+x_r=m$ 的正整数解有多少呢? 这类似于将 m 个球放入 r 个箱子的可能放法. 将箱子并排放置, 相邻箱子的公共边视为 1, 球视为 0, 每种放法就得到一个 0 和 1 组成的编码. 现在有 $r-1$ 个 1, m 个 0, 因此这段编码共有 $m+r-1$ 个数, 其中 m 个零可能的放法有 C_{m+r-1}^{m} 种.

如果每个箱子都至少放一个球, 可以先在 r 个箱子中各放入一个球, 再将剩下的 $m-r$ 个球放入这 r 个箱子就行了. 这相当于不考虑已经放入各个箱子的这 r 个球, 在编码中剩余的 $m+r-1-r=m-1$ 个位置中选出 $m-r$ 个位置来放置剩下的球, 因此共有 $\mathrm{C}_{m-1}^{m-r}=\mathrm{C}_{m-1}^{m-1-(m-r)}=\mathrm{C}_{m-1}^{r-1}$ 种放法.

对于 $m+r-1$ 个 1 和 0 组成的编码 (其中含 m 个 0), 0– 游程数最大可能是多少呢? 显然, 全部球放入一个盒子时, 0– 游程数是 1, 又因为总共只有 m 个 0, 0– 游程数不能超过 m. 因此, 0– 游程数一定在 1 和 m 之间, 可以算出游程数取 1 到 m 间各个数的概率.

假定 0– 游程数是 n, 我们可以利用概率计算公式

$$P=\frac{\mathrm{C}_{m-1}^{n-1}\mathrm{C}_{r}^{n}}{\mathrm{C}_{m+r-1}^{m}},$$

计算在由 m 个 0 及 $r-1$ 个 1 构成的编码中, 恰好有 n 个 0– 游程的概率.

具体针对上面给出的这段记录: m=55, $r-1$=53, 由此公式计算 n 在 28 附近的概率如下:

n	22	23	24	25	26	27	28
P	0.017	0.035	0.062	0.097	0.129	0.15	0.15

n	29	30	31	32	33	34
P	0.129	0.097	0.062	0.035	0.017	0.007

很明显, n 落在区间 [22, 34] 内的概率已经高达 0.987[①], 而上面这段记录显示 0– 游程数为 35. 从统计的角度, 如果仅有这么一个记录 (排除从众多记录中选出来的一个), 其可能性很小. 因此这段记录应该不是真实的记录, 可能是人为杜撰的.

实际的情况, 0– 游程数会在 28 左右, 这势必会增加其中某些游程的长度, 因此在扑克牌游戏中经常会出现连续多次摸到好牌, 或连续多次摸到坏牌的情况. 这并不奇怪, 相反, 却是合理的.

下面就是一组真实的观测记录:

000100001110010111111110101110111110
111011100001110001000001111001001011
110100101010010011000011011011110110

其中好牌 59 次, 坏牌 49 次, 0– 游程 26 个, 最长 0– 游程是 5, 长度为 4 的 0– 游程也有 3 个. 这里特别注意的是 1– 游程, 居然有一次连续 8 次摸到好牌, 手气出奇地好.

① 把 n 落在这个区间中对应的所有概率加起来.

七、艰难的选择

美国有一个娱乐节目叫 *Let's make a deal*. 在这个节目中, 主持人会向参与者提出各种问题, 场外电视机前的观众也能参与解答. 该节目曾经提出过一个非常著名的问题.

图 13

假设你站在舞台上, 在你的面前有 3 扇一模一样的门 (图 13). 主持人告诉你, 在这 3 扇门的背后分别有 1 辆汽车和 2 头山羊. 当然, 你想得到的是汽车. 现在主持人让你作出选择. 你选择了其中的一扇门以后, 门并不打开. 由于主持人知道每扇门的背后是什么, 他会在你挑剩下的 2 扇门中打开一扇背后是山羊的门 (如果你挑剩下的 2 扇门背后都是山羊, 主持人会随机地挑一扇门打开), 然后问你: 你是否坚持刚才的选择, 还是选另一扇关着的门?

对于这个问题, 解答很多, 归纳一下, 下面两个很有代表性.

解答一: 改猜! 主要观点是认为改猜获得汽车的概率是 $\dfrac{2}{3}$. 理由是: 第一次选的那扇门有汽车的概率是 $\dfrac{1}{3}$, 另外 2 扇门有汽车的概率是 $\dfrac{2}{3}$. 既然打开其中的一扇门是山羊, 那么这 $\dfrac{2}{3}$ 的概率就都落到另外一扇门后面去了, 因此改猜的概率要大. 为了更有说服力, 赞成这个观点的人, 进一步举了一个极端的例子: 假如是 100 扇门,只有一扇门后面是汽车, 你选一扇门选中汽车的概率只有 1%; 当主持人打开 98 扇门, 仅剩下一扇门时, 那扇门后面有汽车的概率将是 99%. 因为你第一次要在 100 扇门中选到汽车的概率实在太小, 没有理由认为汽车会在你那扇门后面.

解答二: 不用改猜! 主要观点是不会改变获得汽车的概率. 因为剩下的 2 扇门只有一扇门后面有车, 概率都是 $\dfrac{1}{2}$.

到底哪一种说法对呢?

我们把这个问题变一变.

假如你的面前有 10 扇门, 它们的后面是 1 辆汽车和 9 头山羊. 你仍然作一次选择, 如果接下来打开的 8 扇门后面都是山羊, 你有一次重新选择的机会. 你是否选择另一扇门?

此时赞成解答一的居多吧?

事实上, 当假定主持人知道每扇门后面是什么时, 应该毫不犹豫地改猜.

用 A 表示选择的这扇门后面是汽车这一结果, 那么 $\overline{A}$ 表示这扇门后面是山羊; 又设 B 表示主持人打开 8 扇门均为山羊这一结果. A 发生的概率记为 $P(A)$, B 发生的概率记为 $P(B)$, AB 表示 A 与 B 同时发生, 其概率记为 $P(AB)$. 一般而言, 当 B 发生后, A 发生的概率是不一样的, 称为**条件概率** (conditional probability), 记为 $P(A|B)$. 条件概率的公式为

$$P(A|B)=\frac{P(AB)}{P(B)}.$$

根据这个公式, 如果主持人知道每扇门后面是什么, 那么 B 就是必然事件, 其发生的概率为 1, 即 $P(B)=1$, 从而

$$P(A|B)=\frac{P(AB)}{P(B)}=P(AB)=P(A)=0.1,$$

而 $P(\overline{A}|B)=0.9$. 既然这扇门后面 90% 的概率都是山羊, 那么剩下的那扇门就正好反过来, 是山羊的概率只有 10%, 是汽车的概率为 90%. 这样, 改选就是明智的选择.

但如果主持人并不知道每扇门后面是什么, 又该如何选择呢? 这时, 假如你没有选中汽车, 那么主持人连续打开 8 扇门都没有发现汽车的概率是很小的, 由于第一次需要在剩下的 9 扇门中选择一扇门打开, 在你没有选中汽车的前提下, 这 9 扇门中有 8 扇门后面是山羊, 故没有选中汽车的概率也是 $\frac{8}{9}$. 在

这种情况下，继续选第二次时，剩下 8 扇门，有山羊的门剩下 7 个，选中山羊的概率为 $\frac{7}{8}$，所以连续两次没有选中汽车的概率为

$$\frac{8}{9}\cdot\frac{7}{8},$$

余类推，连续 8 次都没有打开有汽车的那扇门的概率为

$$\frac{8}{9}\cdot\frac{7}{8}\cdot\frac{6}{7}\cdot\frac{5}{6}\cdot\frac{4}{5}\cdot\frac{3}{4}\cdot\frac{2}{3}\cdot\frac{1}{2}=\frac{1}{9}.$$

反过来，在这 8 次中发现汽车的概率是 $\frac{8}{9}=0.889$. 这说明等到剩下最后一扇门时都没有发现汽车是小概率事件，只有 0.111 的概率，真到了这个时候，开始认为你没有选到汽车的假定就可能有问题，而你选择的那扇门后面是汽车的条件概率就大大增加了，因此不应该改选.

这个时候选和不选的概率是怎样的呢？此时，显然有 $P(B|A)=1$，而 $P(B|\overline{A})=\frac{1}{9}$，并注意到 $P(AB)=P(A)P(B|A)$，根据条件概率公式，

$$\begin{aligned}P(A|B)&=\frac{P(AB)}{P(B)}\\&=\frac{P(A)P(B|A)}{P(B(A+\overline{A}))}\\&=\frac{P(A)P(B|A)}{P(BA+B\overline{A})}\\&=\frac{P(A)P(B|A)}{P(BA)+P(B\overline{A})}\\&=\frac{P(A)P(B|A)}{P(A)P(B|A)+P(\overline{A})P(B|\overline{A})}.\end{aligned}$$

这个公式称为**贝叶斯公式**. 其推导过程中得到的

$$P(B) = P(A)P(B|A) + P(\overline{A})P(B|\overline{A})$$

称为**全概率公式**. 根据上述贝叶斯公式,

$$P(A|B) = \frac{0.1 \times 1}{0.1 \times 1 + 0.9 \times \frac{1}{9}} = \frac{1}{2}.$$

奇怪吧, 其实我们的直觉还是出了偏差, 这个时候是否改选, 概率都是 $\frac{1}{2}$. 原来最初选择的概率 $\frac{1}{10}$(称为先验概率) 已经变化了, 大幅提升到 $\frac{1}{2}$. 当然, 既然各占 $\frac{1}{2}$, 改选确实没有必要.

假如问题变成: 主持人打开一扇门, 发现是山羊后, 立即就问你是否改选, 你如何决策呢?

问题还是一样, 如果主持人知道每扇门后面是什么, 用 C 表示主持人打开一扇门发现是山羊, 那么 C 为必然事件, $P(C) = 1$, 从而已选择门后是汽车的条件概率

$$P(A|C) = \frac{P(AC)}{P(C)} = P(AC) = P(A) = 0.1,$$

未发生变化. 而在剩下的 8 扇门中随意选一个, 选中汽车的概率为

$$(1 - 0.1) \times \frac{1}{8} = 0.1125 > 0.1,$$

所以应该改选. 如果主持人不知道每扇门后面是什么, 随机地打开一扇门看见是山羊, 那么

$$P(C|A) = 1, P(C|\overline{A}) = \frac{8}{9}.$$

由贝叶斯公式, 就有

$$P(A|C) = \frac{0.1 \times 1}{0.1 \times 1 + 0.9 \times \frac{8}{9}} = \frac{1}{9}.$$

而在剩下的 8 扇门中改选, 选中汽车的概率为

$$\left(1 - \frac{1}{9}\right) \times \frac{1}{8} = \frac{1}{9}.$$

可见, 改选与不改选的概率均为 $\frac{1}{9}$, 建议不改选.

八、隐私问题调查

既然是隐私问题, 就不应该进行调查. 但为学生的心理健康和成长着想, 教育工作者或者社会学家应该通过合理合法的渠道, 获得这些问题的有效结论. 这归类于敏感问题调查. 有些社会问题不属于隐私, 但由于问题敏感, 受调查者不愿意暴露自己的倾向或者爱憎, 也可能采取敷衍或拒绝回答的态度.

统计学源于“国情调查”或“国情学”, 主要指人口调查、收入调查等, 因此统计调查一直是统计学的重要内容之一. 个人或家庭的收入也属于个人隐私, 要直接通过问卷方式进行调查是徒劳无功的.

乔治 · 盖洛普 (George Gallup, 1901—1984) 是美国舆论统计学家和民意调查研究的创始人, 他于 1935 年开始进行有关政治和社会问题的民意调查. 值得一提的是他们对历届美国总统选举的调查取得了巨大的成功, 准确率一直非常高.

调查就免不了提问, 但不是每个问题都可以直来直去? 有些时候需要迂回和适当的策略. 尤其是问卷调查, 如果调查的问题使受调查者抵触, 那效果就可想而知了.

比如, 学生阅读黄色书刊会严重影响身心健康, 但这种行为是避着教师和家长进行的, 属于个人隐私. 有没有办法巧妙地设计问卷调查, 既尽最大可能保护学生的隐私, 但又能通过调查分析出学生阅读黄色书刊的比例呢?

答案是肯定的!

这属于敏感问题调查. 类似的问题还可以调查是否参与赌博? 是否考试作弊? 是否说过谎? 是否偷拿过同学东西? 是否欺负过同学? 这些都属于个人隐私, 受调查者讳莫如深, 不会轻易示人. 这属于正常的自我保护意识, 与诚实无关.

对隐私问题的调查方法, 关键要使受调查者愿意作出真实回答又能保护个人隐私. 一旦调查方案设计有误, 受调查者就会拒绝配合, 所得调查数据将失去真实性.

沃纳 (Warner)1965 年提出了一种随机化回答的调查方法, 可以有效减轻受调查者的心理防备和抵触, 也合理地保护了每个受调查者的隐私.

沃纳设计的方案是这样的: 对需要调查的隐私问题, 设计两个对立的问题, 由于调查者不知道你将具体回答哪个问题, 从而可以缓解你对隐私问题或敏感问题的戒备倾向.

问题 A: 你看过黄色书刊吗?

问题 B: 你从不看黄色书刊?

这是针对隐私问题的设计. 下例是针对敏感问题倾向的问卷调查:

问题 A: 你想入团?

问题 B: 你不想入团?

学生即使不想入团, 也不愿意暴露出这种倾向, 因而是不能直接询问的. 针对这样的问题如何测试呢?

要求受调查者翻一本厚书, 翻到页码尾数为 1, 3 回答问题 A, 翻到页码尾数为 5, 7, 9 回答问题 B. 翻书的时候可以翻很小的缝, 仅仅自己看见, 别人不能看见. 当然, 最好能使学生翻书的时候周围没有人观看, 或者学生坐分散一点, 相互不能监督. 空白答卷纸上没有任何标志, 你回答“是”打“钩”, 回答“否”打“叉”. 收上去的答卷只有“钩”或者“叉”, 并不知道每人回答的是问题 A 还是问题 B. 这样, 就每个受调查者而言, 无从了解他的隐私或倾向.

但我们却可由此得到对问题 A 回答“是”的人所占的比例. 统计很神奇吧?

假定所有答卷划“钩”的占 57%, 又我们知道有 $\frac{2}{5}$ 的人回答问题 A, $\frac{3}{5}$ 的人回答问题 B. 设收到的试卷总数是 m 张, 回答问题 A 为“是”的概率为 p. 根据全概率公式,

P(回答“是”)

$=P$(抽到问题 A)P(回答“是”|抽到问题 A)$+$

P(抽到问题 B)P(回答“是”|抽到问题 B),

由于

P(回答“是”)$=57\%$, P(抽到问题 A)$=\frac{2}{5}$,

P(回答“是”|抽到问题 A)$=p$,

$$P(\text{抽到问题 B}) = \frac{3}{5},$$

$$P(\text{回答“是”}|\text{抽到问题 B}) = 1 - p,$$

可得方程

$$0.57 = 0.4p + 0.6(1 - p),$$

从而解得 $$p = 0.15.$$

这一方法无法推算具体某个人是否具有某种倾向, 但却能估计受调查整体具有这种倾向的人数的比例. 沃纳证明, 随机问答方法在很多情况下优于直接询问法.

沃纳的随机问答方法中所设计的两个问题都是与调查问题直接相关的, 仍可能引起受调查者的戒备. 西蒙斯 (Simmons)1967 年改进了这个方法, 将两个问题设计得完全不一样.

下面就是根据他的思路设计的调查方法. 在这个方案中受调查者仍然只需要回答两个问题中的一个, 而且只需回答“是”或“否”.

问题 A: 你的生日是否在上半年?

问题 B: 你是否看过黄色书刊?

这个调查方案很简单, 由于第一个问题完全与调查问题风马牛不相及, 可以进一步消除受调查者的顾虑, 使受调查者确信参加这次调查不会泄露个人隐私.

在操作上还可以进一步设计一个封闭的环境: 受调查者在没有旁人的情况下, 独自一人在一个房间操作和回答问题.

受调查者从一个罐子中随机抽取一只球, 罐中只有红球和白球, 看过颜色后即放回. 若抽到白球回答问题 A, 抽到红球回答问题 B.

受调查者无论回答问题 A 还是问题 B, 只需在答卷的一个方框上做记号, "是" 画 "圈", "否" 打 "叉", 然后把答卷投入一个密封的投票箱内. 这个过程是无记名的, 所有受调查者的答卷都投入同一个投票箱. 这样调查可以极大地消除受调查者的顾虑, 因为没有人知道答卷上回答的是问题 A 还是问题 B.

现在我们来分析调查的结果. 显然我们对问题 A 不感兴趣. 为了提取答卷中问题 B 的信息, 假设有 n 张答卷, 其中有 k 张回答 "是" (画了 "圈" 的答卷). 我们无法直接从答卷中找出回答问题 B 的答卷, 但有两个信息我们是知道的:

(1) 在参加人数较多的情况下, 生日在上半年的受调查者应该占到全部受调查者的 50% 左右;

(2) 罐中有多少红球是知道的.

利用全概率公式可得

$$P(\text{回答“是”}) = P(\text{白球})P(\text{回答“是”}|\text{白球}) + P(\text{红球})P(\text{回答“是”}|\text{红球}).$$

所以, 如果 $P(\text{红球})=q$, 则 $P(\text{白球})=1-q$. 而 $P(\text{回答“是”} \mid \text{白球})=0.5$, 设 $P(\text{回答“是”} \mid \text{红球})=p$, 代入上式右边, 而左边用频率 $\dfrac{k}{n}$ 代替, 得

$$\frac{k}{n} = 0.5(1-q) + pq,$$

从而

$$p = \frac{\frac{k}{n} - 0.5(1-q)}{q}.$$

这样得到的 p 显然不是绝对准确的结果, 仅仅是 p 的一个估计.

在一次实际调查中, 罐中放有红球 30 个, 白球 20 个, 则 q=0.6. 调查结束后共收到 1507 张有效答卷, 其中有 413 张回答“是”, 由此可计算出

$$p = \frac{\frac{413}{1507} - 0.5 \times 0.4}{0.6} \approx 0.1234.$$

这表明: 约有 12.34% 的学生看过黄色书刊.

九、两极分化与回归

乔纳森·斯威夫特 (Jonathan Swift, 1667—1745)1726 年完成代表作《格列佛游记》. 该书描述了格列佛 1699 年乘“羚羊号”船航向南方的离奇经历. 船起初平安无事, 后来, 不幸在东印度群岛遇难, 漂流到利立浦特岛上. 岛上居民身高只有六英寸左右, 和他的身躯相比, 他简直就算是巨人了! 后来, 他又起航, 但却在巨人岛——布罗卜丁奈格岛搁浅了, 那里的国王身高有六十英尺之巨, 这会儿格列佛又变成“小人”了.

人类的发展从早期的猿人算起, 迄今已有 300 万年. 按照现代的择偶标准, 高个子男生倾向于和高个子女生结合, 他们的子女也更高. 这样繁衍到今天, 出现巨人国和小人国确实也算合情合理. 斯威夫特生活的那个时代, 还不晓得地球有多大, 幻想一下, 倒也不算离谱.

今天我们已经清楚地知道地球上人类大致有多高. 为什么经过漫长的进化, 人类身高没有出现明显的两极分化呢?

英国统计学家高尔顿 (F.Galton, 1822—1911,

图 14) 和他的学生 K. 皮尔逊 (K.Pearson, 1857—1936, 图 15) 在研究父母身高与其子女身高的遗传关系时, 观察了 1078 对夫妇. 他们以每对夫妇的平均身高作为自变量, 而取他们的一个成年儿子的身高作为因变量, 将结果在平面直角坐标系上绘成散点图, 发现趋势近乎一条直线, 计算出的回归直线方程为

$$y = 33.73 + 0.516x.$$

图 14　高尔顿

图 15　K. 皮尔逊

这一方程表明: 父母平均身高每增减一个单位时, 其子女的身高仅增减 0.516 个单位. 这样高个子父母的子女, 其身高有低于其父母身高的趋势; 相反, 矮个子父母的子女, 其身高有高于其父母的趋势. 这说明有“回归”到平均数的趋势, 即客观存在一个身高的平均数. 当父母身高偏离这个平均数太远时, 子女身高会向平均数回归. 这就是统计学上“回归”的涵义.

我们来看一个有趣的高尔顿钉板实验 (图 16). 一个圆球每次都从第一层中间的小钉正上方落下,

碰上钉子后向左右滚落的概率均为 0.5. 由于钉子的间距正好略大于圆球的直径, 下方在钉子通过的正中间也钉上钉子, 这样圆球会再次向左右滚落, 同样向左或者向右的概率均为 0.5. 当圆球通过 20 次碰撞到达底部时所处的位置是无法预计的, 因为中间的每一步都是偶然的选择.

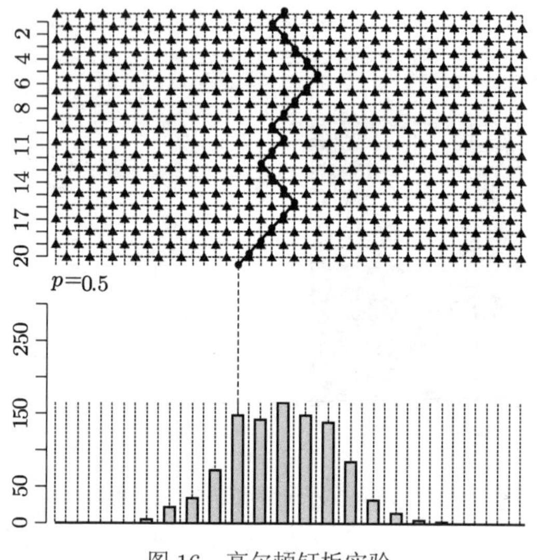

图 16　高尔顿钉板实验

但是当我们大量观察这个实验, 并统计所有最终位置的时候, 我们会发现一个有趣的现象. 那就是圆球虽然跌跌撞撞地来到底部, 但并没有太多的圆球远离底部的中心位置, 反而大量的圆球集结在底部中心, 两边的都很少. 距离中心越远的地方, 圆球到达的数目越少.

不管我们实验多少次, 只要每次小球数量足够多, 下面都会形成这样的钟形曲线, 这个曲线的函数是什么样子的呢?

高斯 (C.F.Gauss, 1777—1855, 图 17) 最先给出了这个函数公式:

$$f(x)=\frac{1}{\sqrt{2\pi}}\mathrm{e}^{-\frac{x^2}{2}}, x\in\mathbf{R}.$$

图 17　高斯

这个公式就是统计学中著名的标准正态分布密度函数. 为了纪念高斯的贡献, 又称高斯分布曲线 (图18).

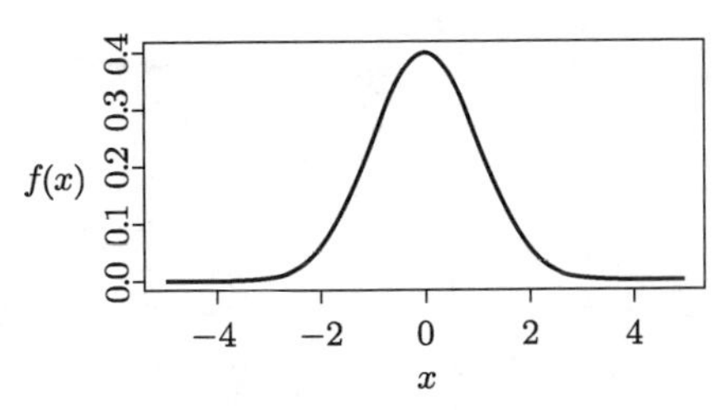

图 18　高斯分布曲线

正态分布是统计学中使用最广泛的分布. 各种测量误差, 人的身高、体重, 产品的长度、重量,炮弹的落点等都服从正态分布或近似服从正态分布.

在上面的例子中, 子女的身高服从正态分布, 因此大多数人的身高差不多. 姚明不常有, 指望他的子女超过他的身高是不现实的. 武大郎也不多, 而且随着生活水平的提高, 亚裔人身高逐渐赶上欧洲人是可以期待的.

正态分布揭示了随机世界的本源, 概率统计中著名的中心极限定理表明: 不管什么样的随机现象, 不管它多么复杂和不可预测, 只要可以独立重复观测, 那么这些观测的叠加一定呈现出正态分布的特征, 或者随着观测次数的增多, 最终会以正态分布作为极限分布.

上面的钉板实验就是一个很好的例子, 每一个小球你不知道它最终会落到哪里, 但有了高斯分布曲线后, 我们知道随着实验小球的增多, 小球大部分会落在中间, 甚至可以算出有 99.73% 的概率会落在 $(-3, 3)$ 之间, 这只要计算积分

$$\int_{-3}^{3} \frac{1}{\sqrt{2\pi}} \mathrm{e}^{-\frac{x^2}{2}} \mathrm{d}x = 0.9973$$

即可.

只要你善于统计, 随机世界原来这么简单, 一个分布就足以近似解释绝大多数随机现象了, 这也算是“中庸之道”的统计解释了吧.

参 考 文 献

[1] C R 劳. 统计与真理. 北京: 科学出版社, 2004.
[2] 何书元. 概率引论. 北京: 高等教育出版社, 2011.
[3] 韦博成. 漫话信息时代的统计学. 北京: 中国统计出版社, 2011.
[4] 罗勃·伊斯特威, 杰里米·温德姆. 绳长之谜. 谈祥柏, 谈欣, 译. 上海: 上海教育出版社, 2004.
[5] 谭永基, 俞红. 现实世界的数学视角与思维. 上海: 复旦大学出版社, 2010.

致　谢

本书是笔者在复旦大学学术交流期间在李大潜院士的鼓励与支持下构思的, 完成后的书稿也得到李院士的审阅, 多次提出了很多修改意见并进行了详细地文字润色和细心校对, 为本书的完善和最终定稿增色不少, 特以致谢.

郑重声明

读者意见反馈

为收集对教材的意见建议，进一步完善教材编写并做好服务工作，读者可将对本教材的意见建议通过如下渠道反馈至我社。

咨询电话　400-810-0598

反馈邮箱　hepsci@pub.hep.cn

通信地址　北京市朝阳区惠新东街4号富盛大厦1座

高等教育出版社理科事业部

邮政编码　100029